懷素草書帖

彩色放大本中國著名碑帖

孫寶文 編

上海辭書出版社

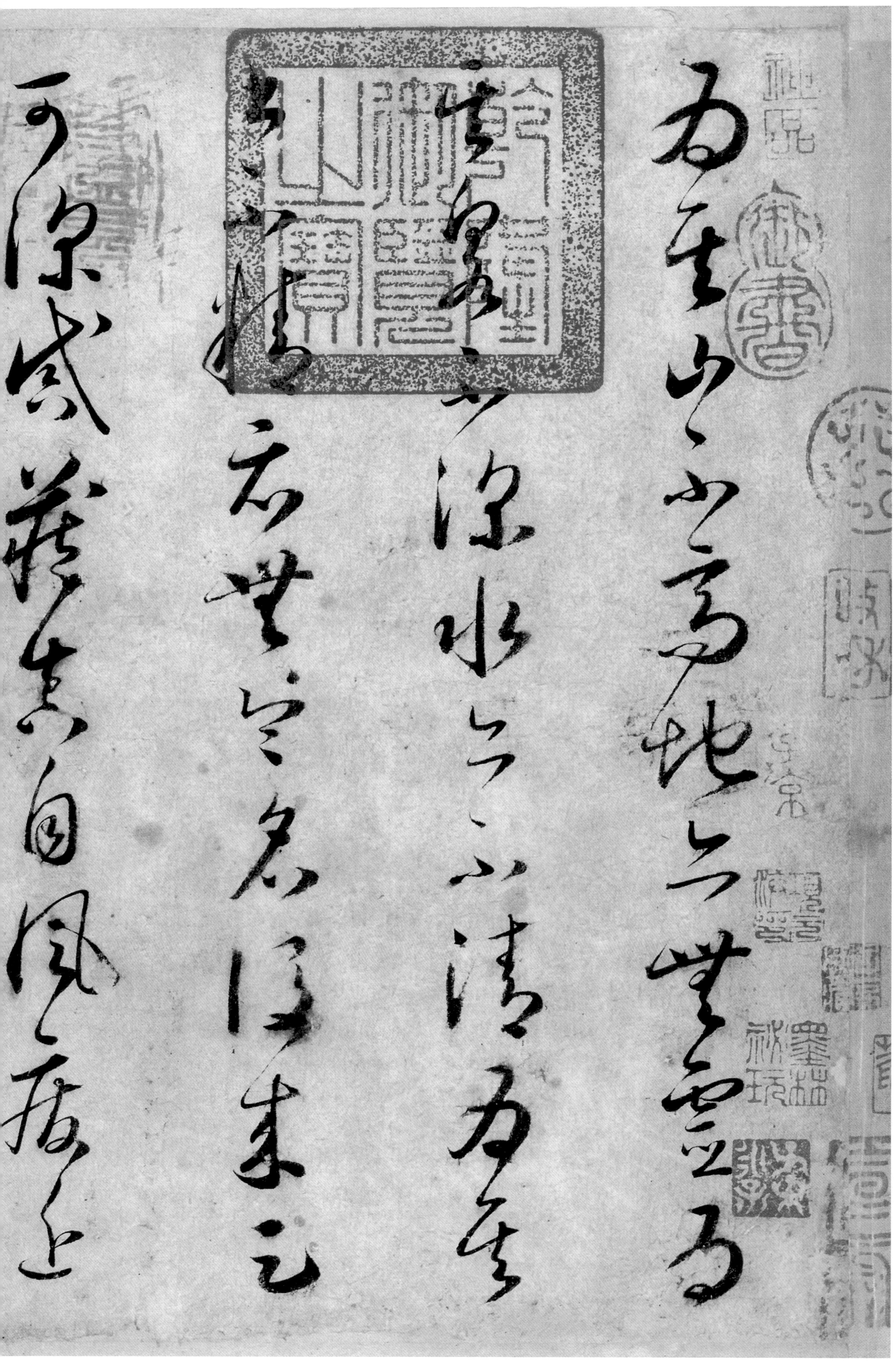

論書帖

为其山不高地亦無靈为其泉不深水亦不清为其书不精亦無令名後來足可深戒藏真自風發近來已四歲近蒙薄減今所为其顛逸全勝往年所顛形詭異不知從何而來常自不知耳昨奉二謝书問知山中事有也

本是一家是家行識家
要去生共遥去律律心
於我說是也在從行句
來處自不去去行世來二何
古句去山中子至如

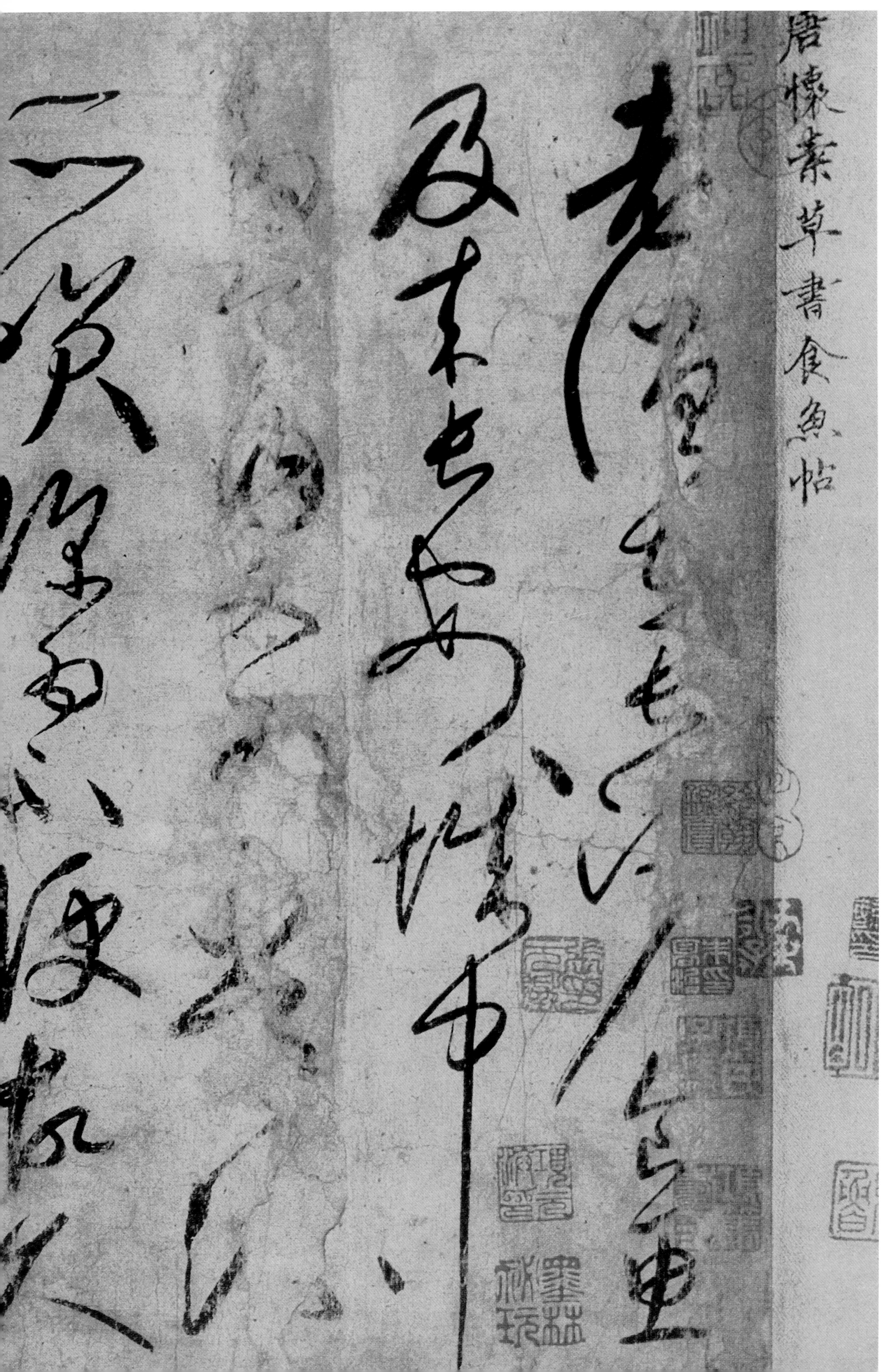

食魚帖

老僧在长沙食魚及來长安城中多食肉又爲常流所笑深为不便故久

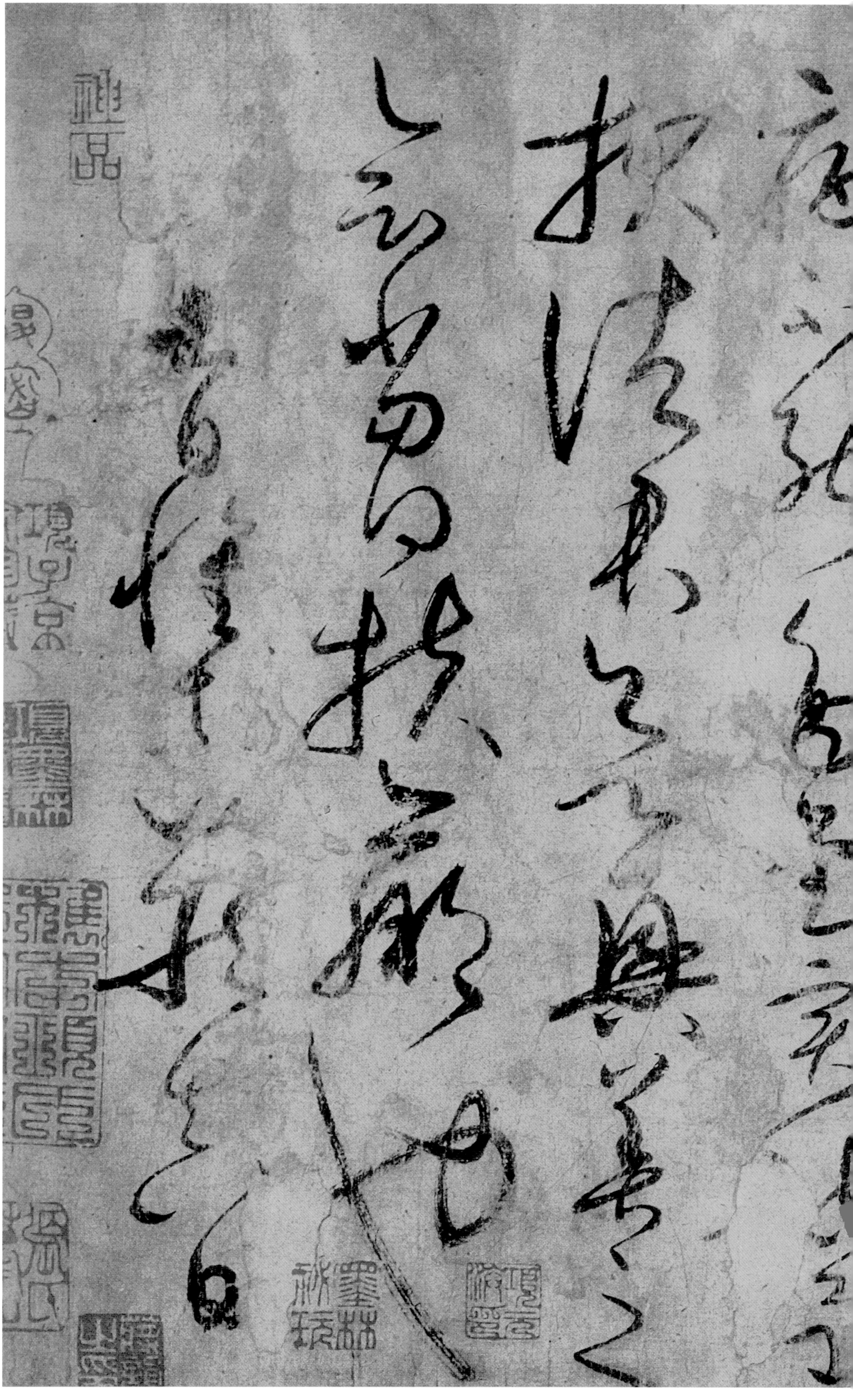

病不能多書異疏還报諸君欲興善之会當得扶羸也□日懷素藏真白

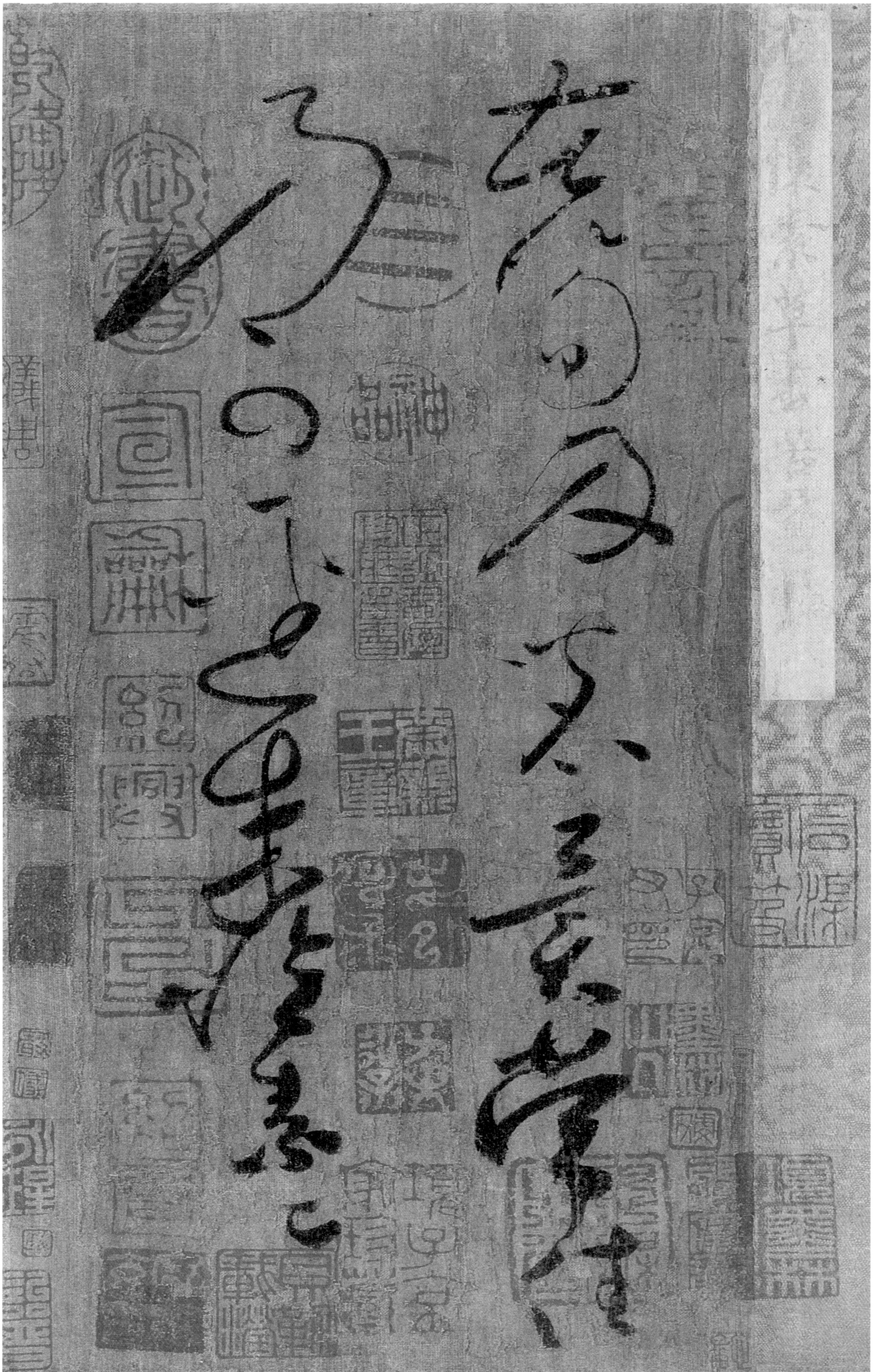

苦笋帖

苦笋及茗異常佳乃可逕來懷素上

聖母帖

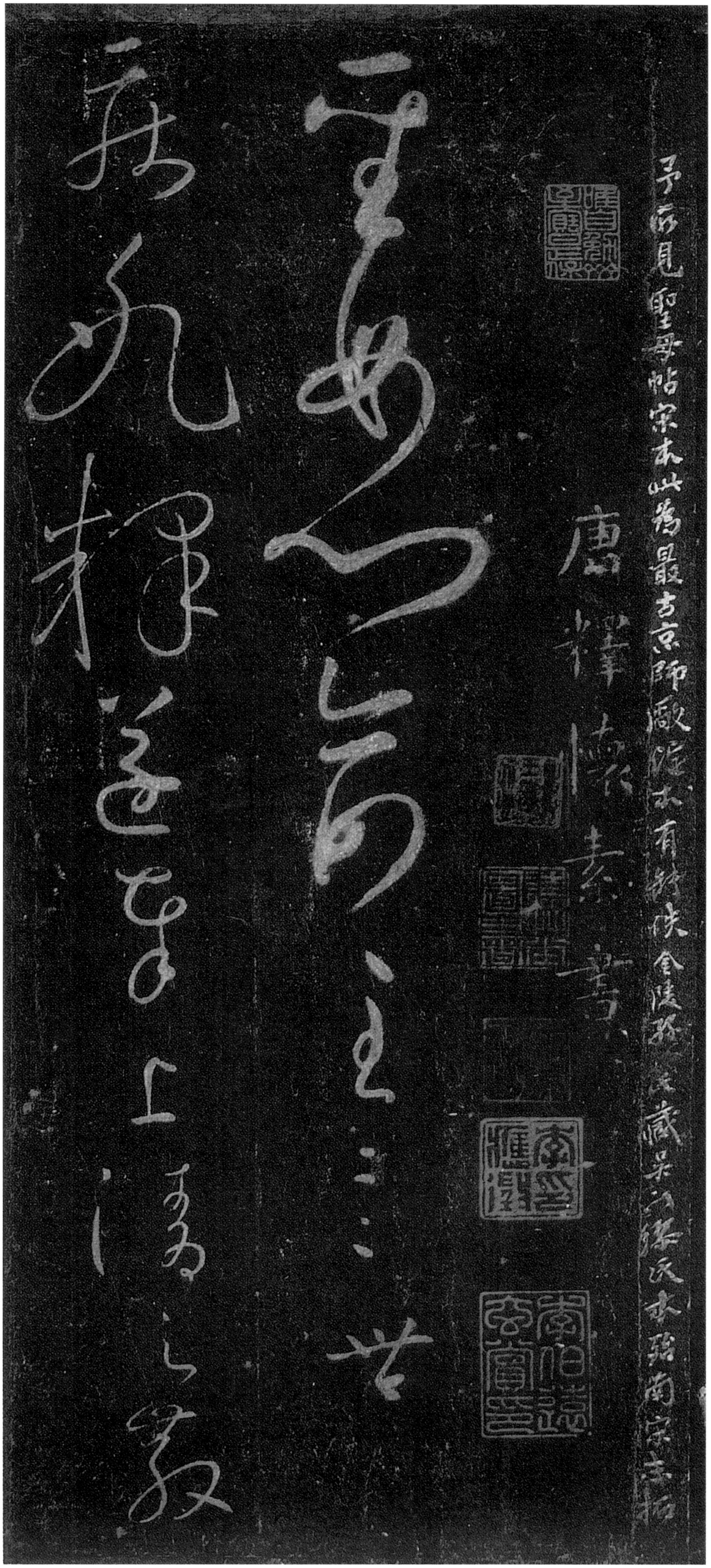

聖母心俞至言世疾冰釋遂奉上清之教

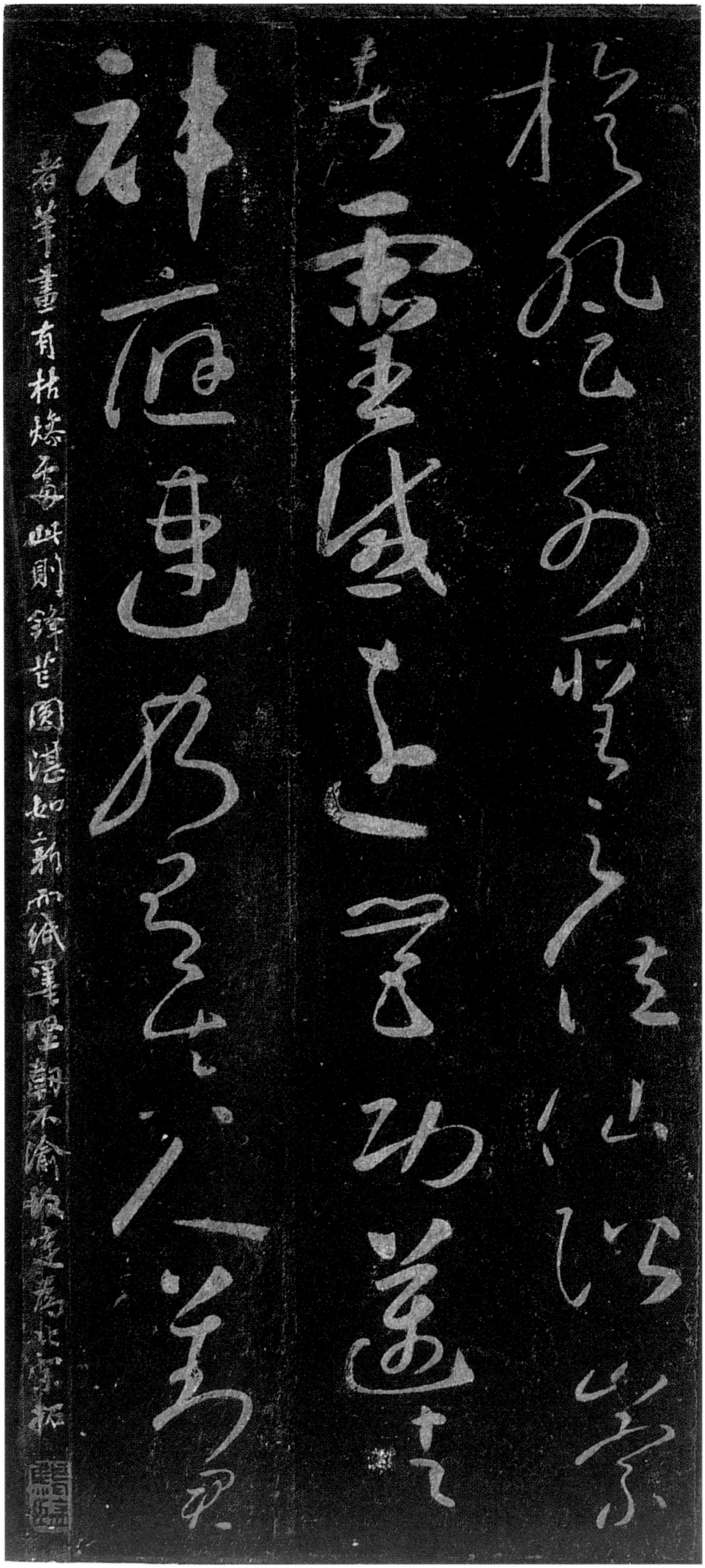

旋登列聖之位仙階崇者靈感遠豐功邁者神應速乃有真人劉君

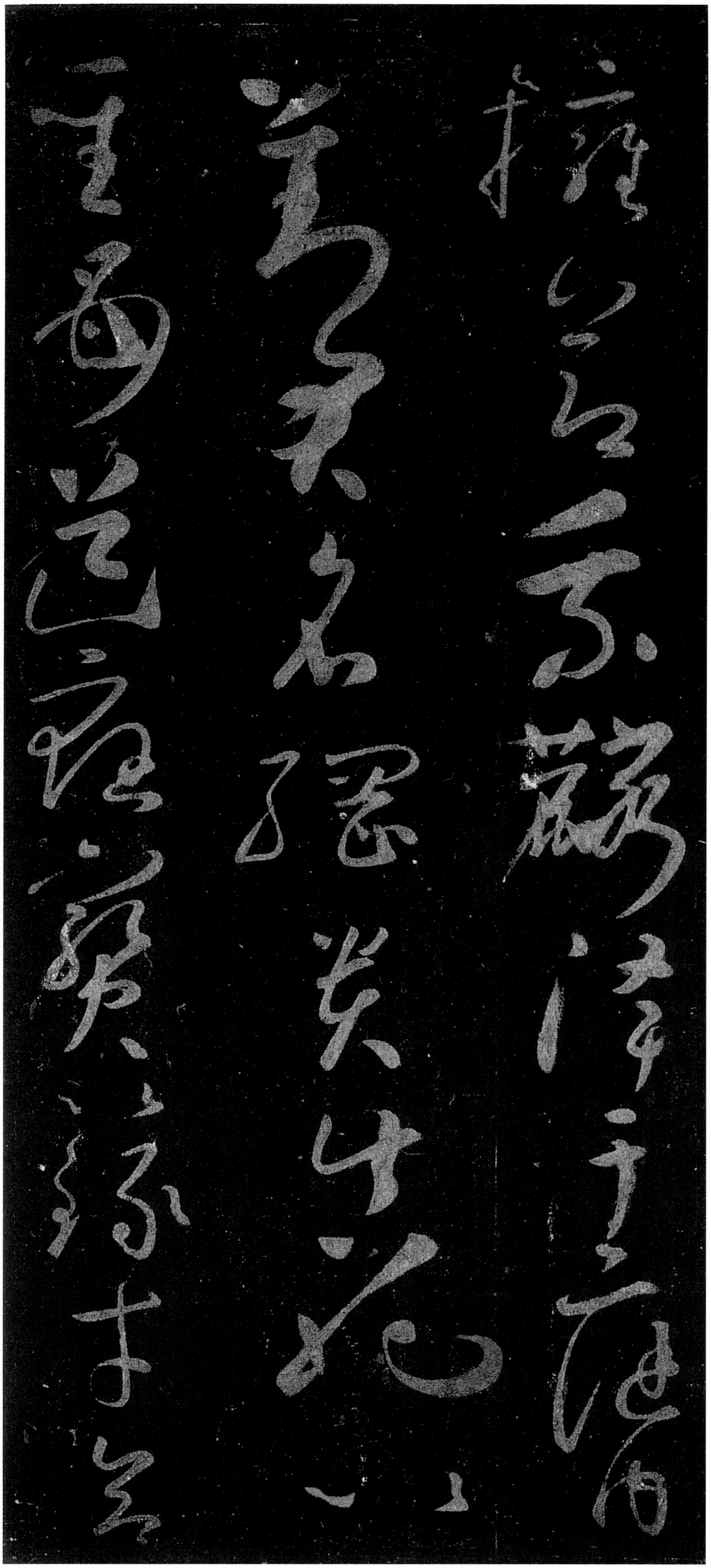

擁節乘麟降于庭内劉君名綱貴真也以聖母道應寶録才合

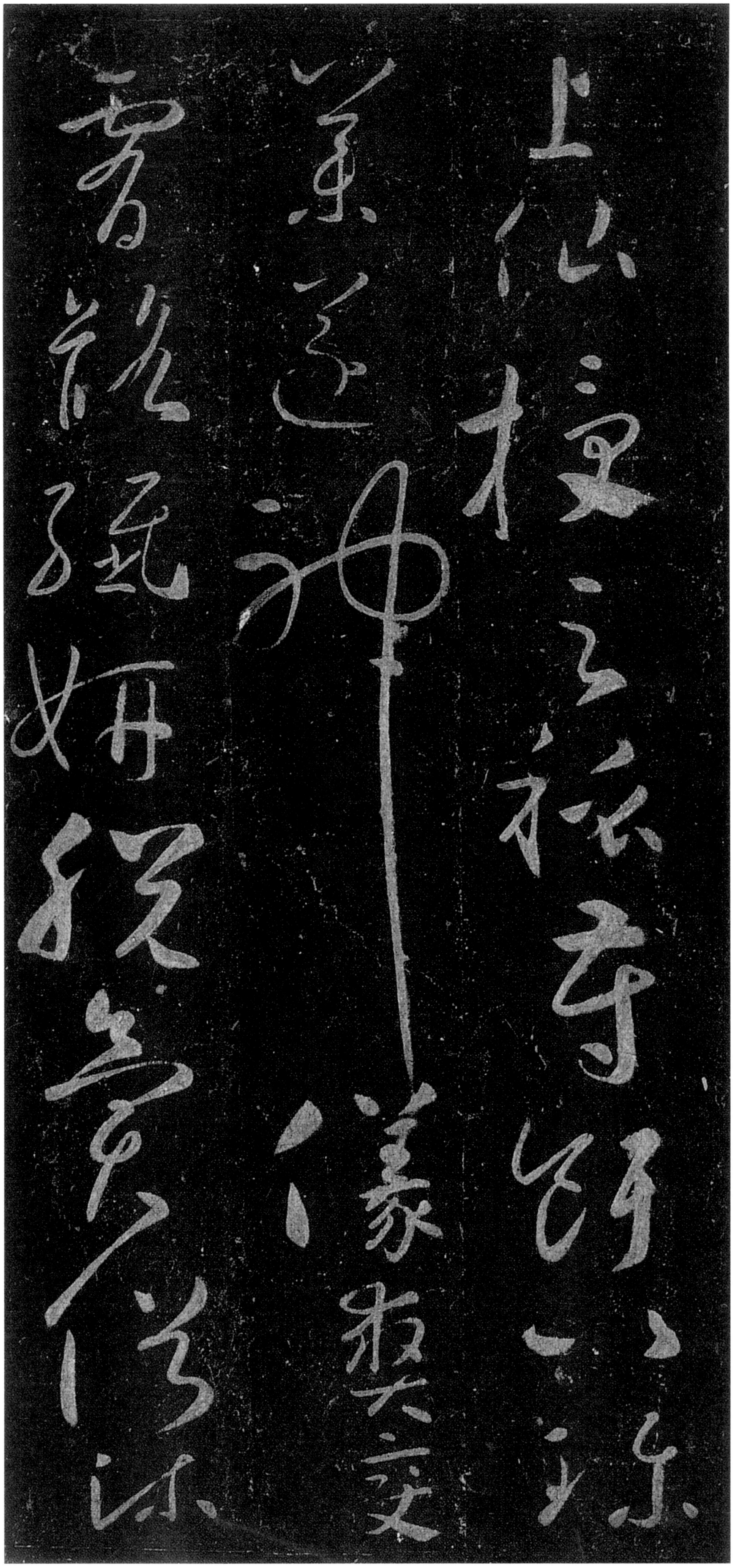

上仙授之秘符餌以珎藥遂神儀爽變膚骼纖妍脱異俗流

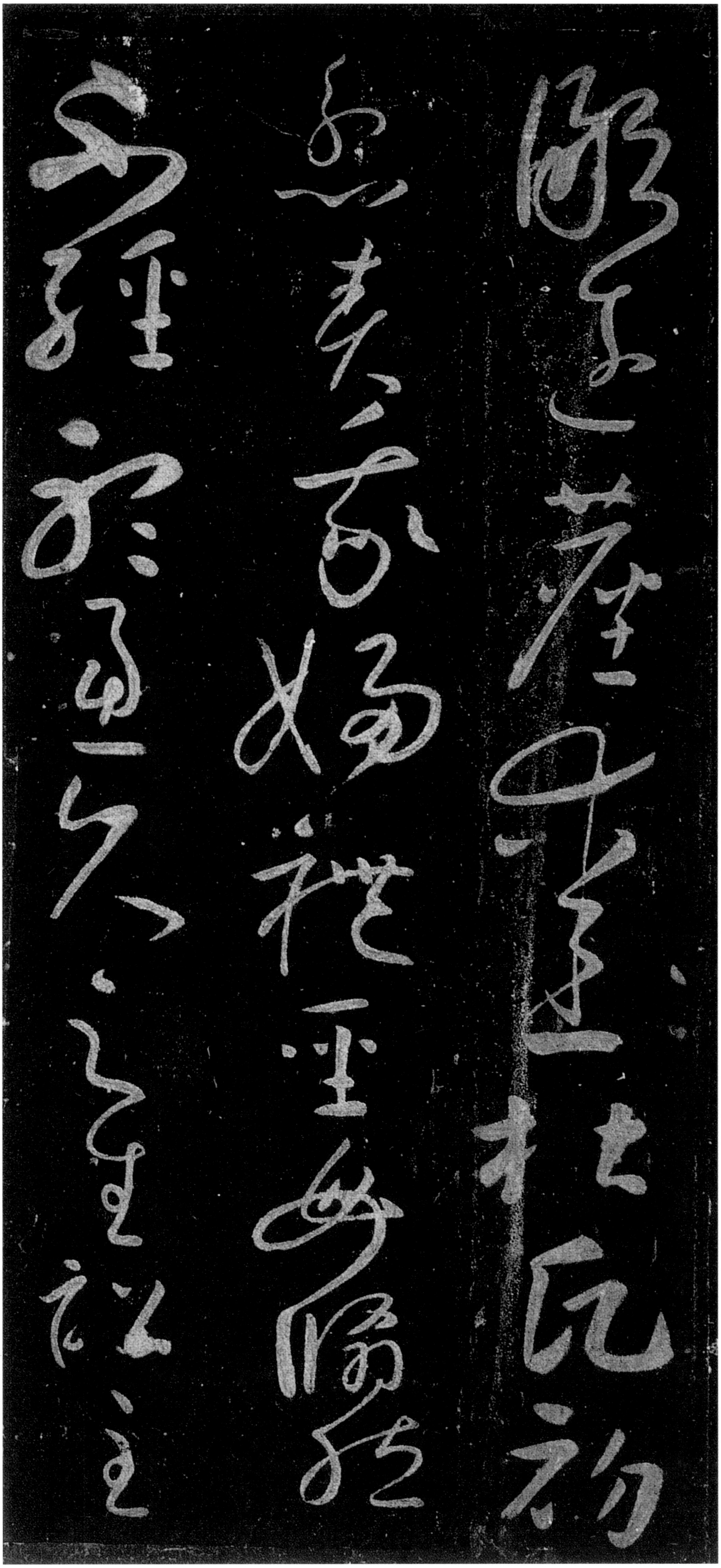

鄙遠塵愛杜氏初怒責我婦禮聖母翛然不經聽慮久之生訟至

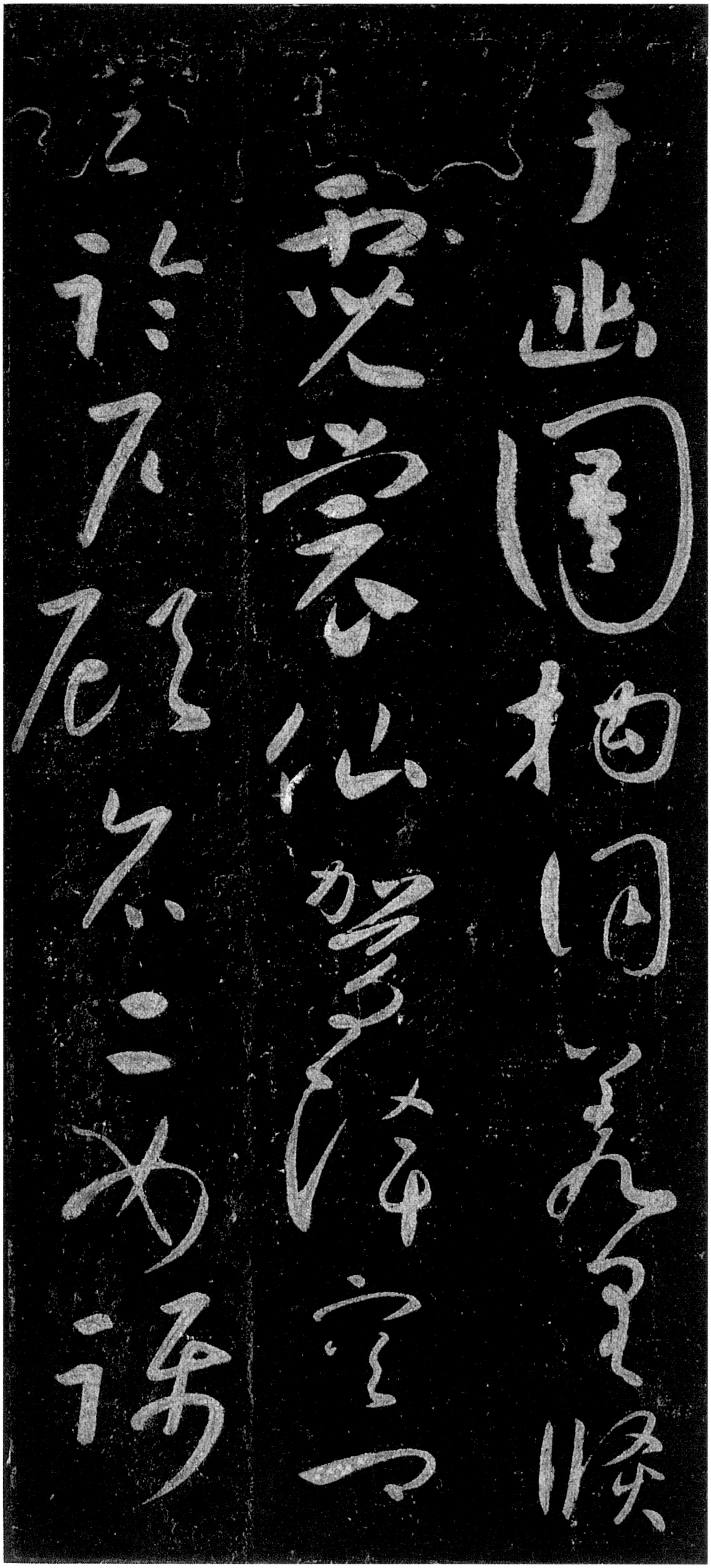

于幽圄拘同羑里倏□霓裳仙驾降空卿云临户顾召二女践

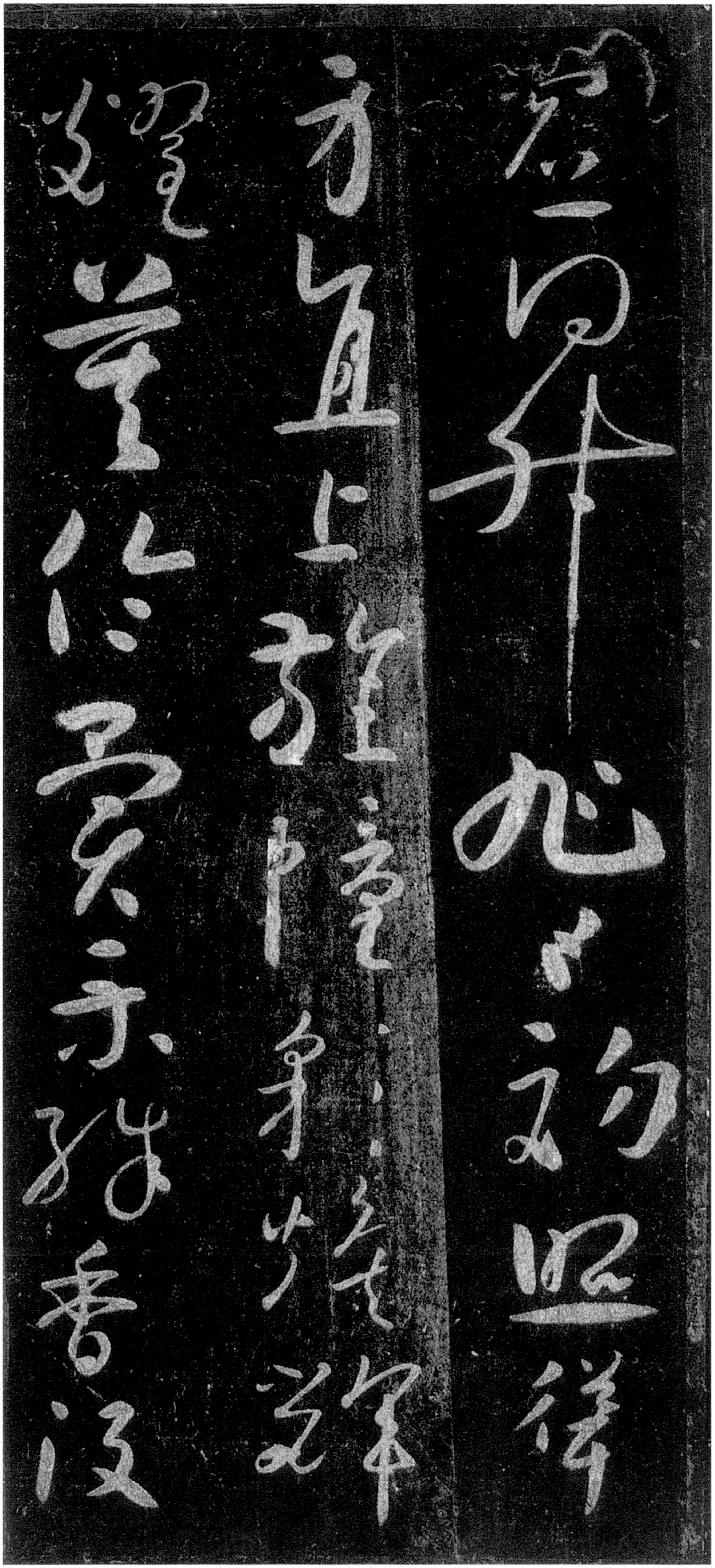

虚同升旭日初照聳身直上旌幢彩焕輝耀莫伦異乐殊香没

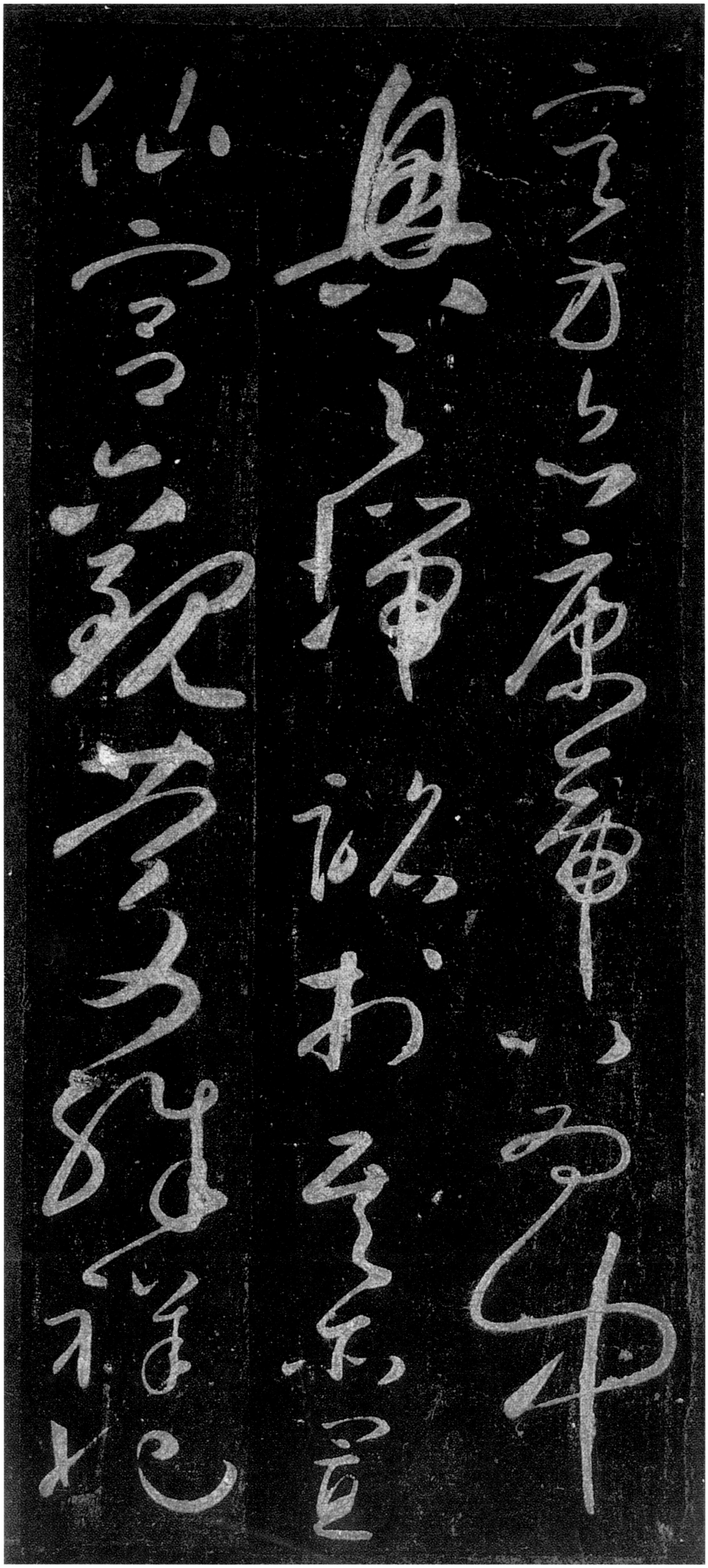

空方息康帝以为中興之瑞詔於其所置仙宮觀慶殊祥也

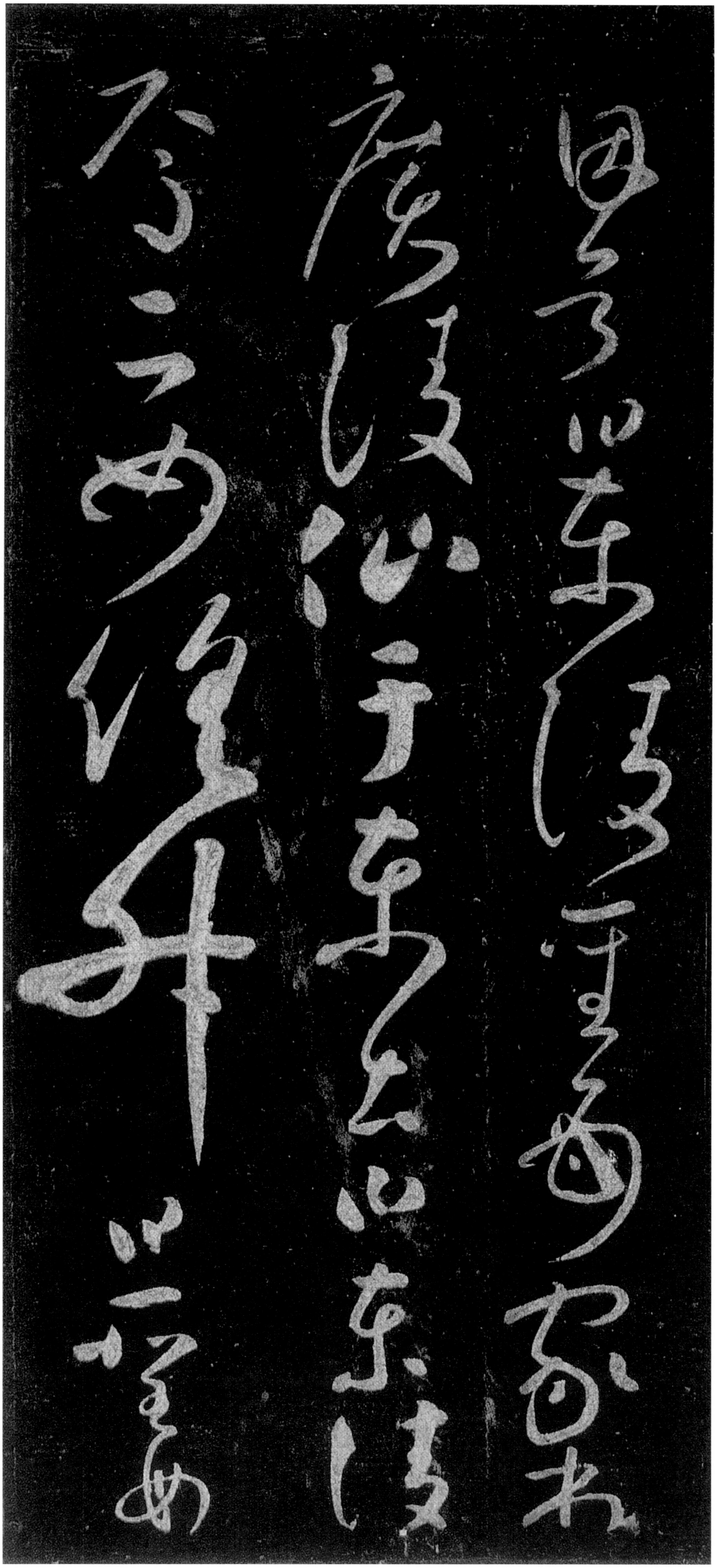

因号曰东陵聖母家於廣陵仙于东土曰东陵焉二女從升曰聖母

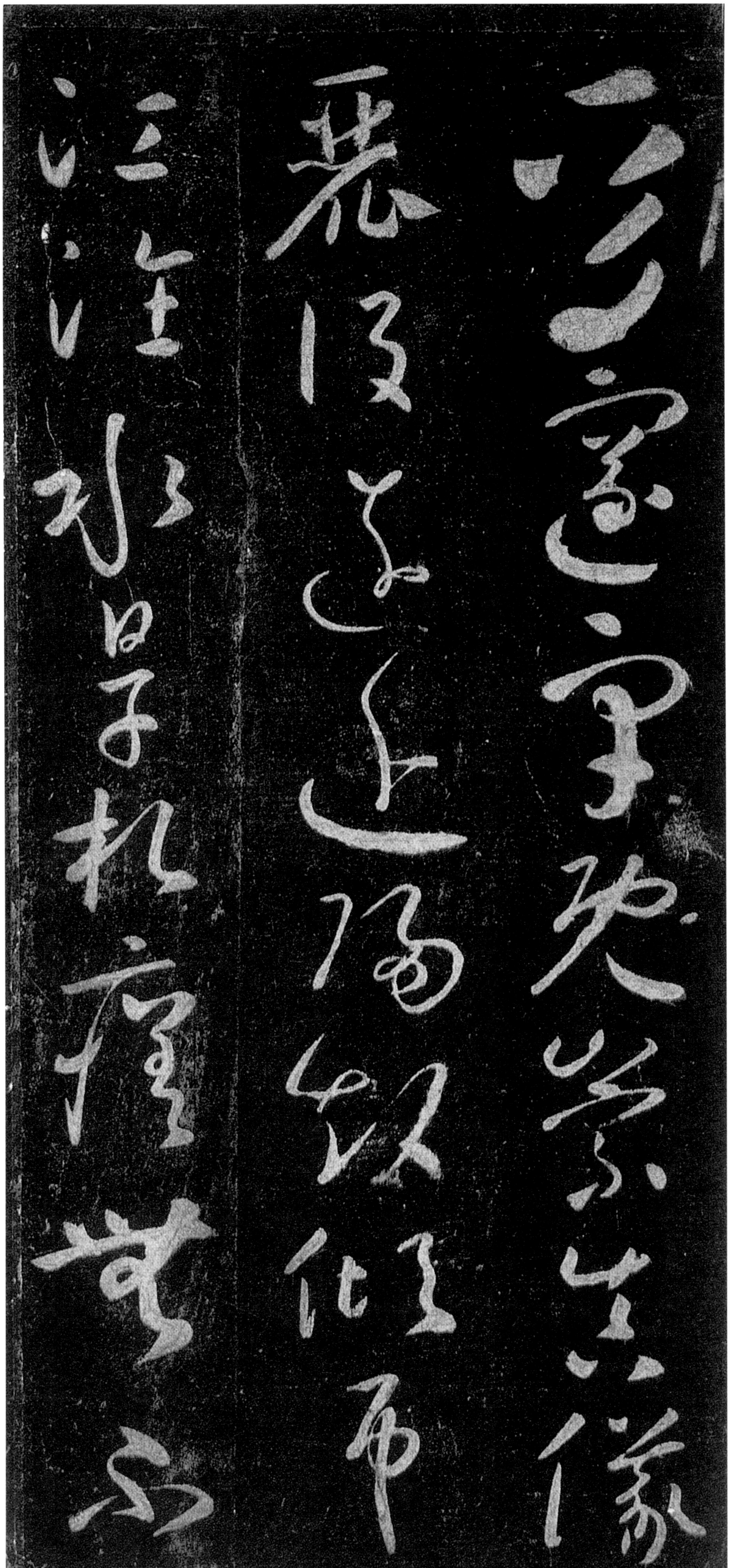

焉邃宇既崇真儀麗設遠近歸赴傾帀江淮水旱札瘥無不

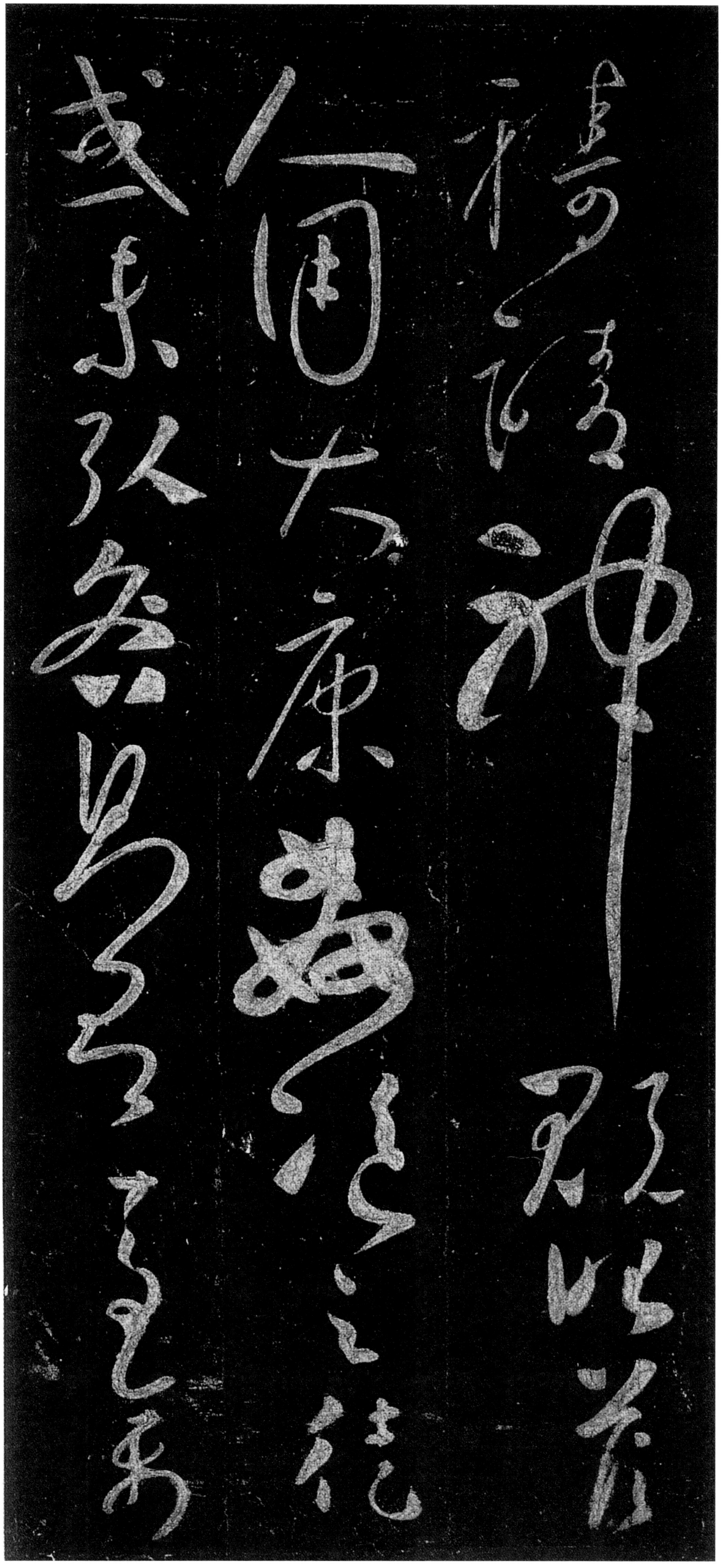

禱請神貺昭答人用太康姦盜之徒或未引咎則有奇禽

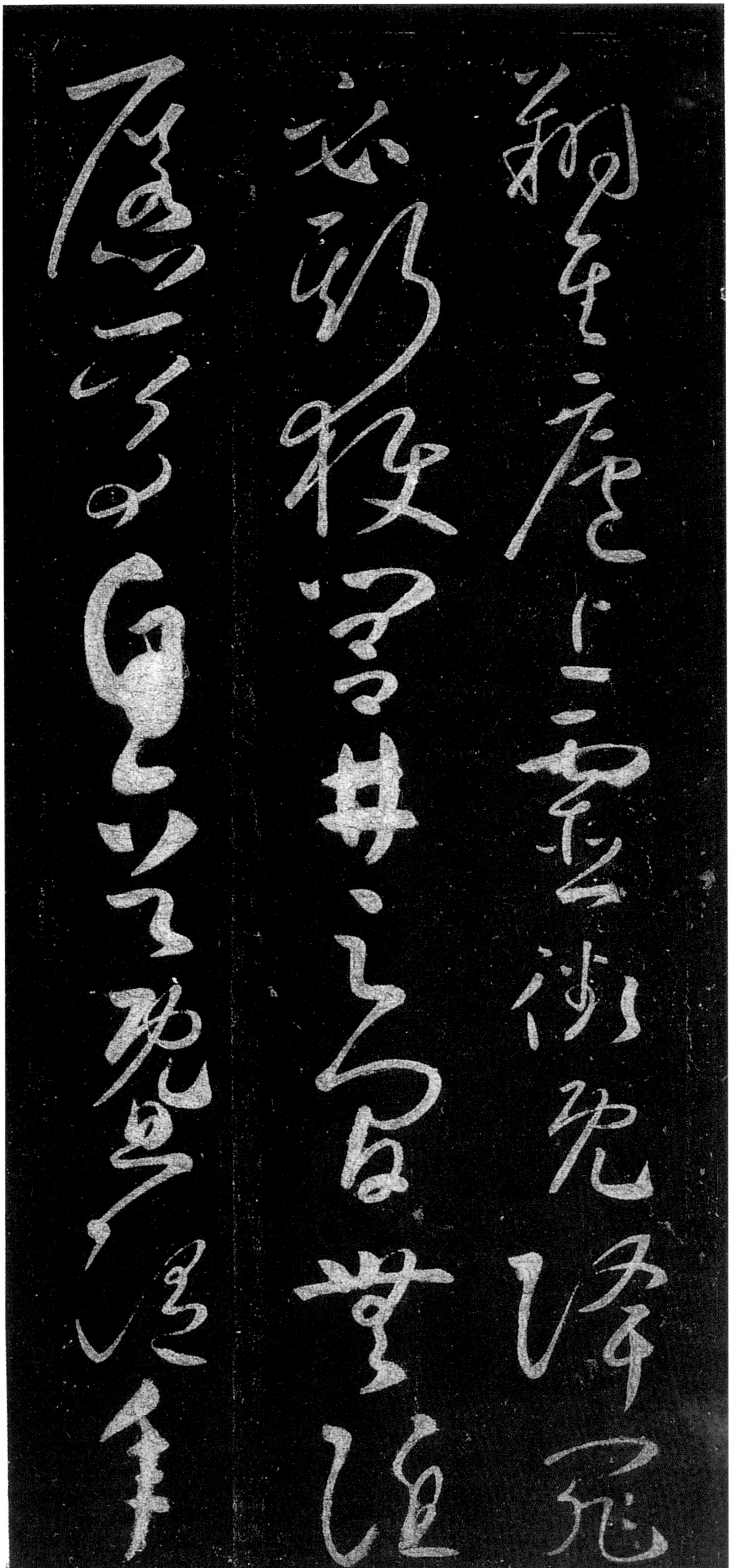

翔其廬上靈徵既降罪必斯獲閭井之間無隱慝焉自晉暨隨年

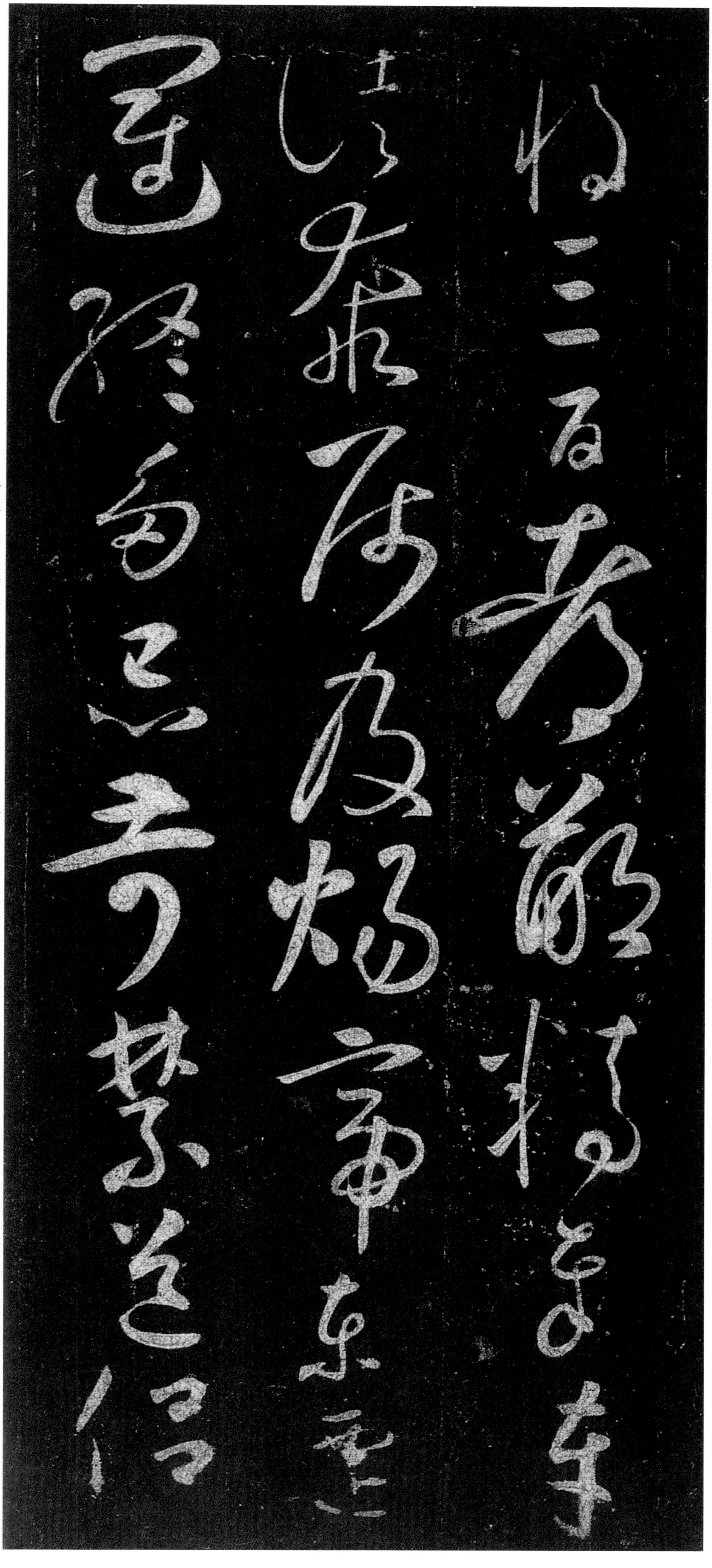

將三百都鄙精奉车徒奔屬及煬帝东遷運終多忌苛禁道侶

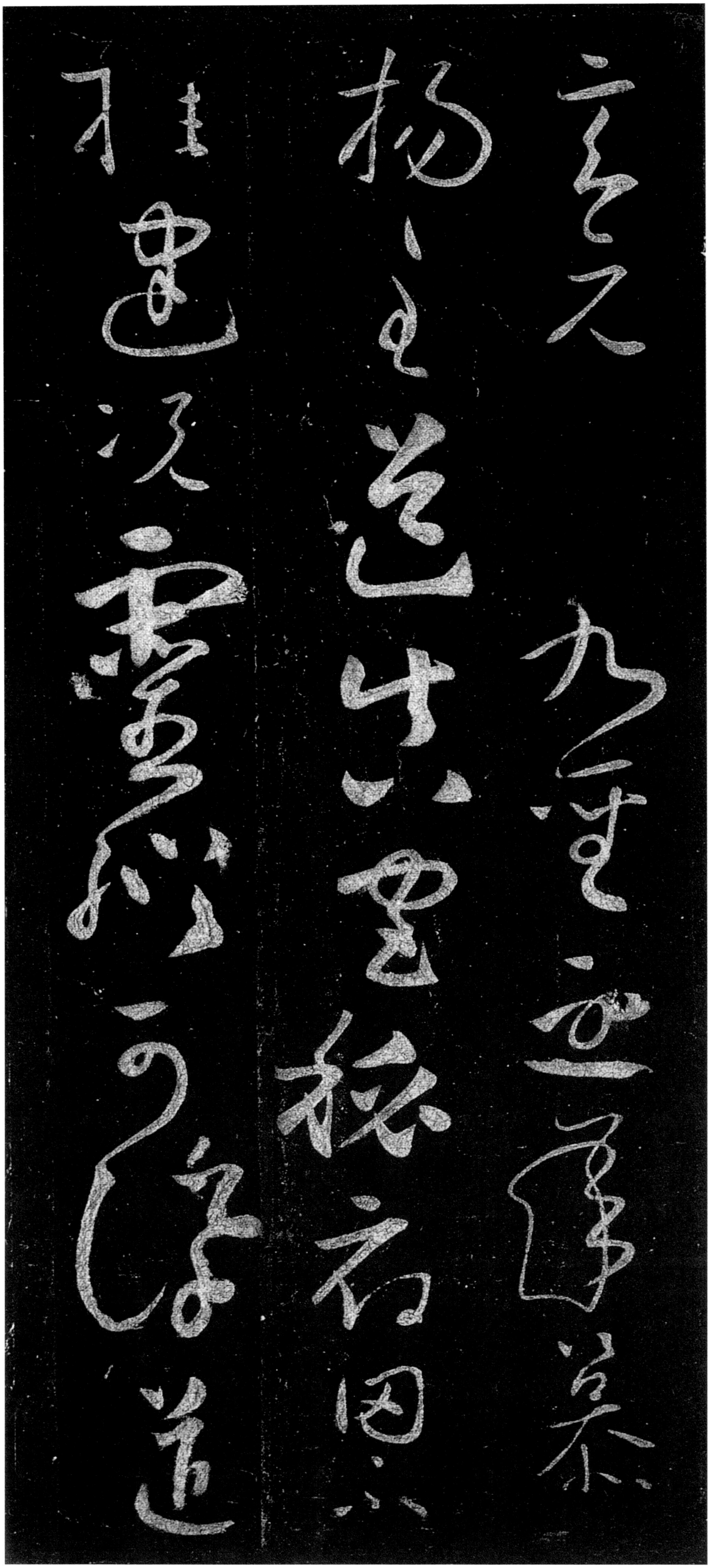

玄元九聖丕承慕揚至道真宮秘府罔不擇建況靈縱可訊道

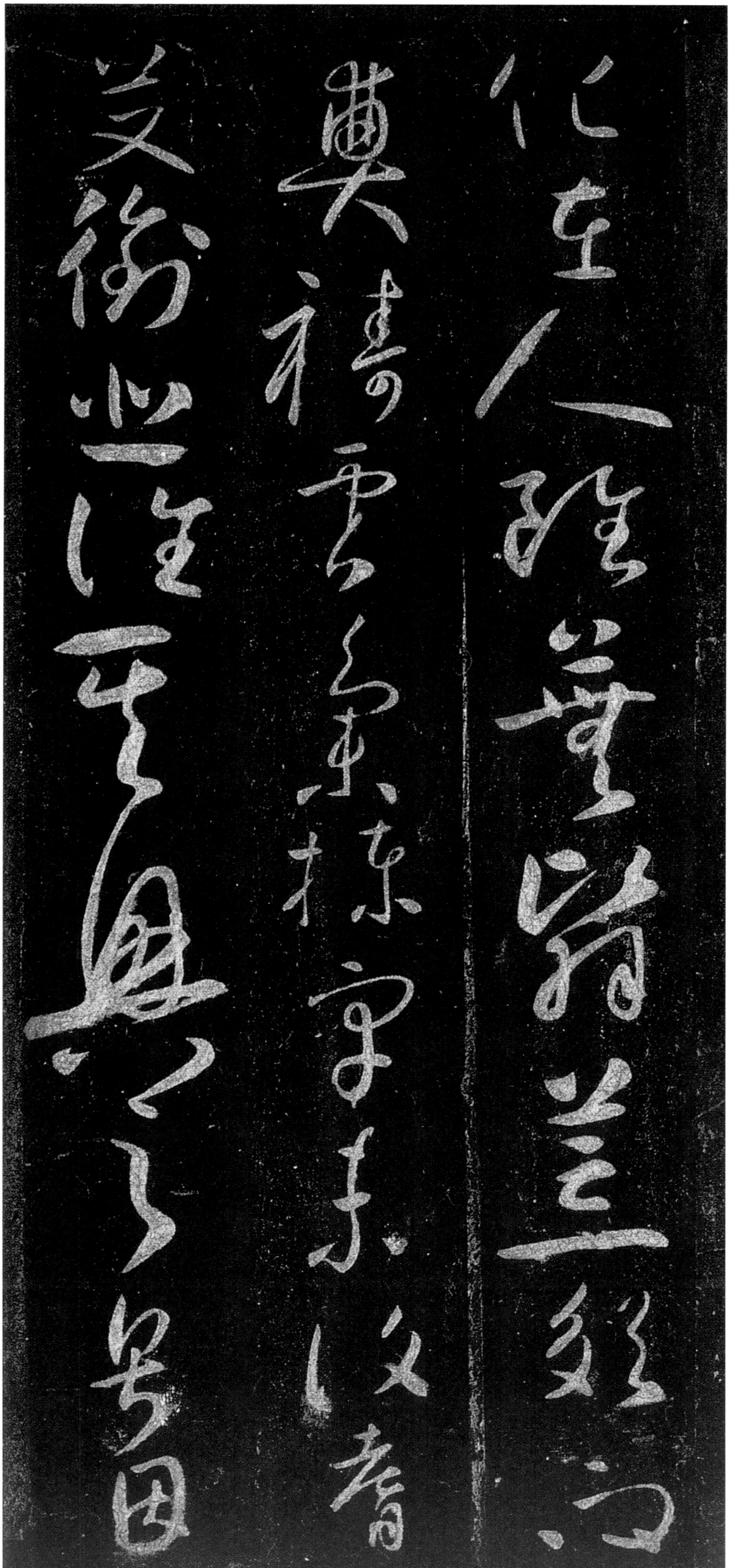

化在人雖蕪翳荒頽而奠禱雲集栜宇未復耆艾銜悲誰其興之粵因

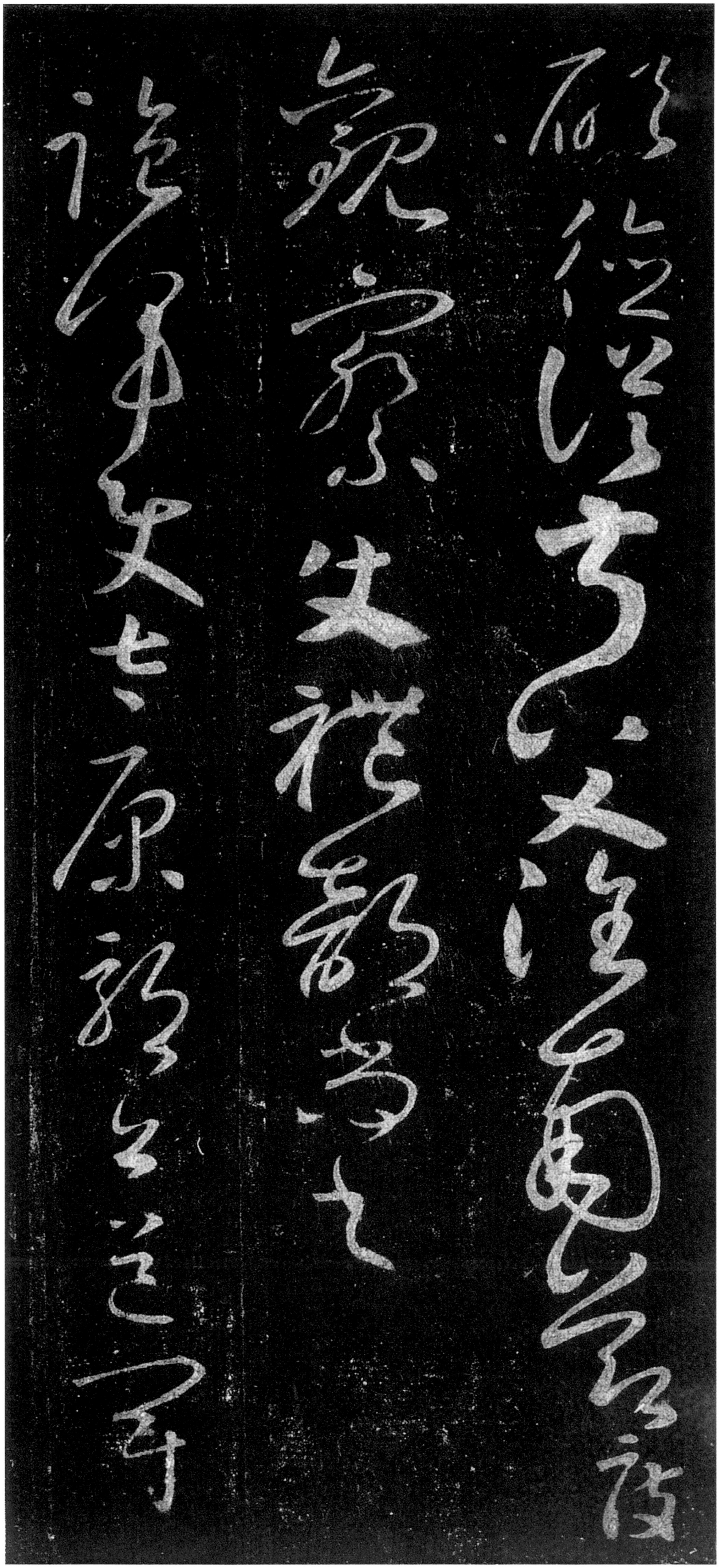

碩德從叔父淮南節度觀察使禮部尚书監軍使太原郭公道冠

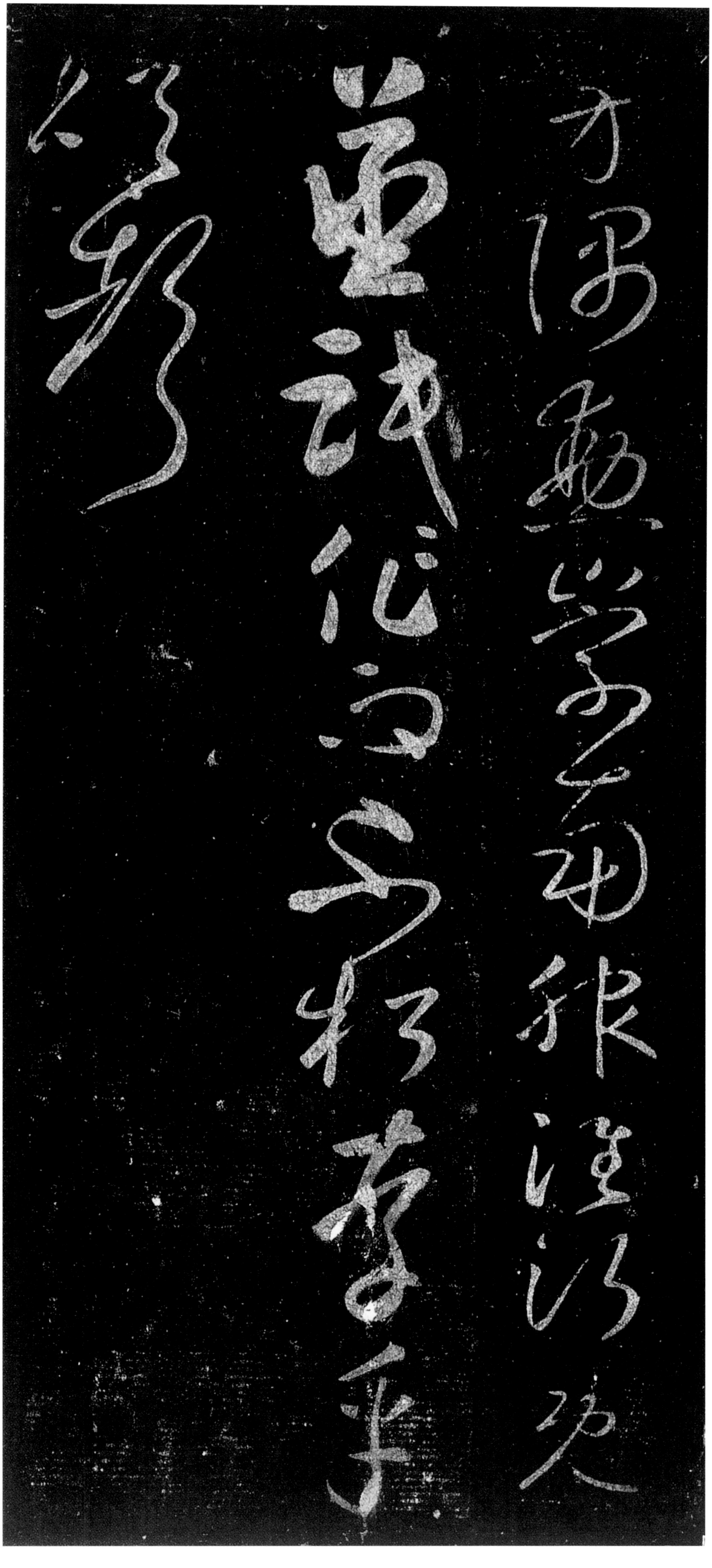

方隅勳崇南服淮沂既蒸識作而不朽存乎頌聲

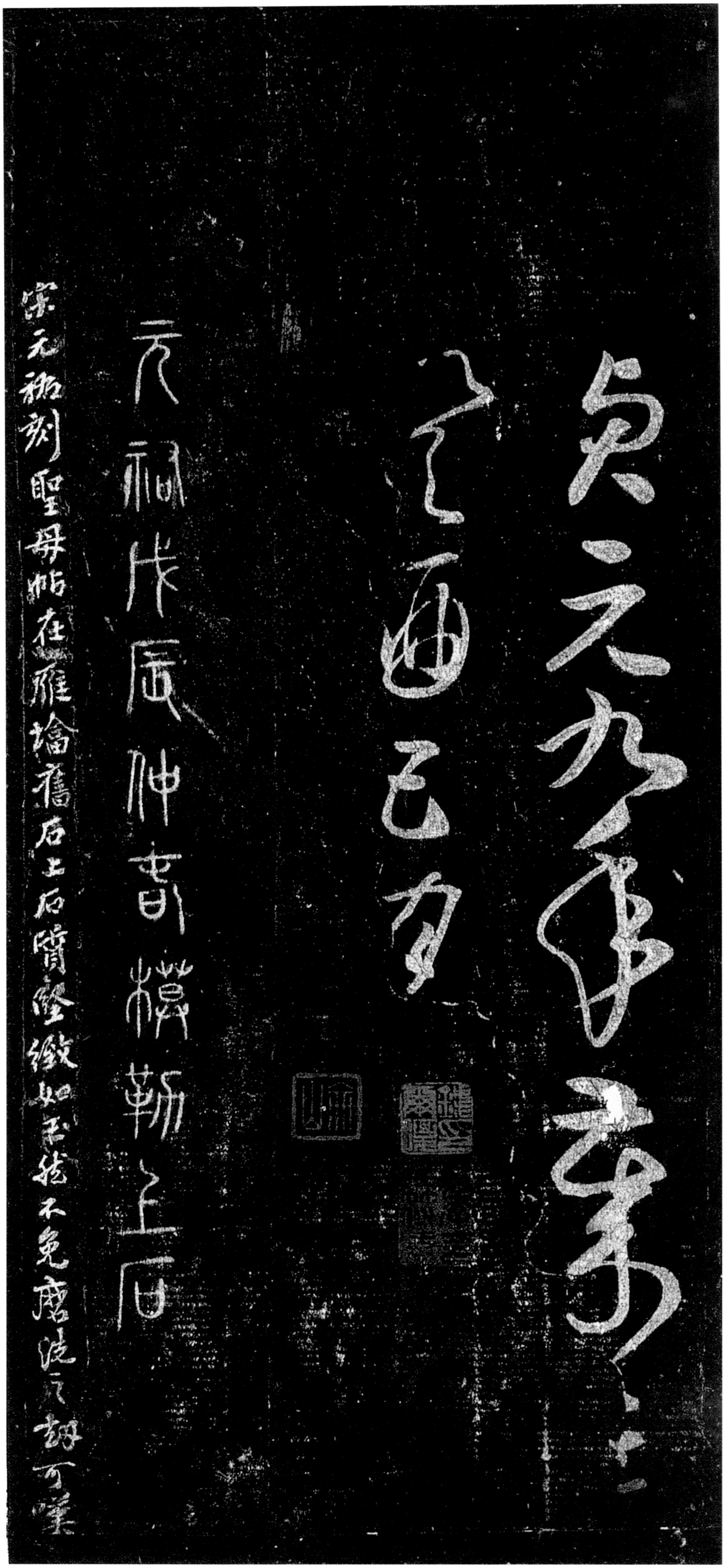

貞元九年歲□癸酉五月

懷素字藏真生於零陵晚遊中州所恨不与張顛長史相識近於洛下偶

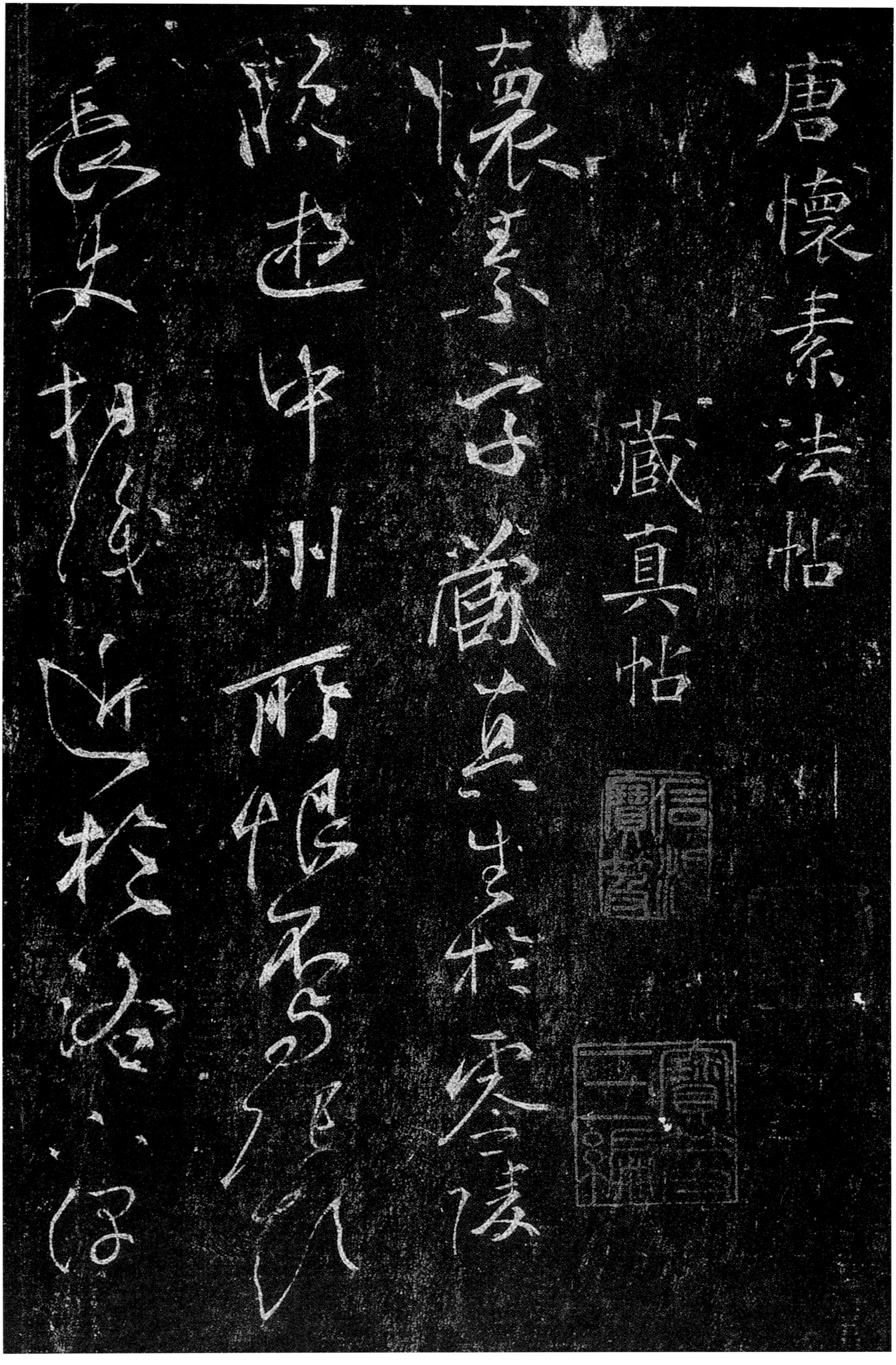

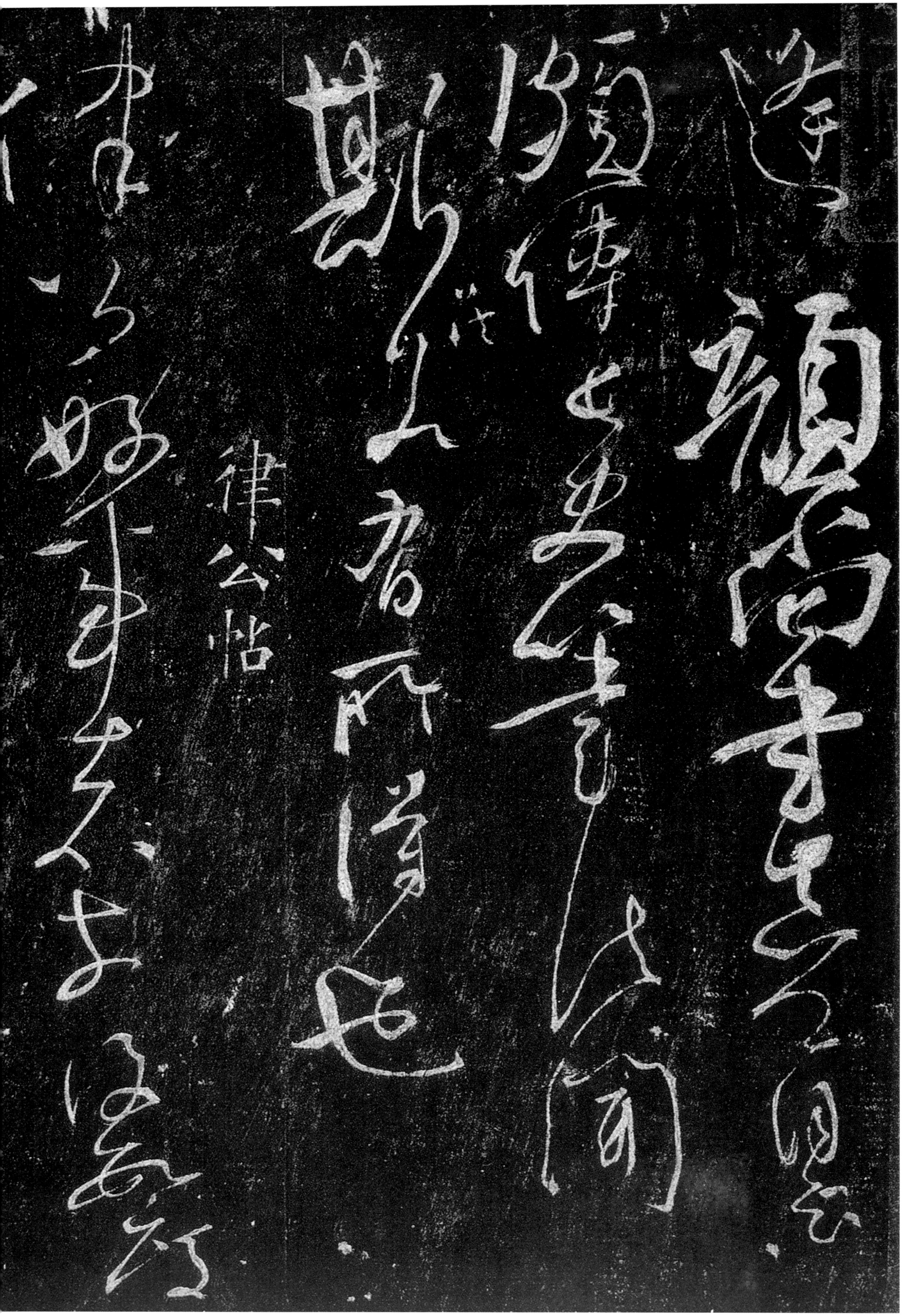

逢顔尚書真卿自云頗傳長史筆法聞斯八法若有所得也

律公帖

律公好事者前後數度

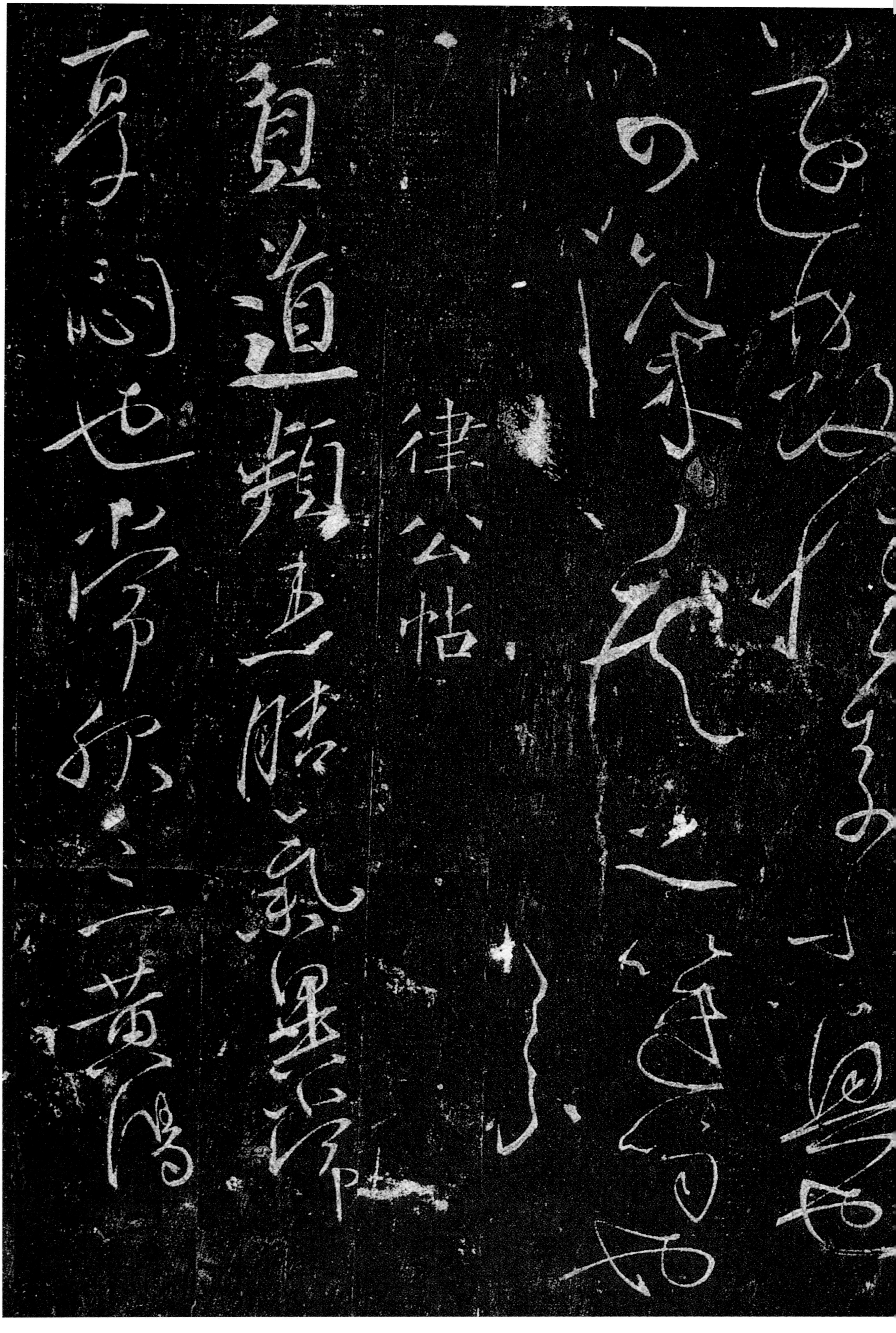

遂羨懷素小輿也可深藏之篋笥也　懷素

律公帖　貧道頻患脚氣異常憂悶也常服三黃湯

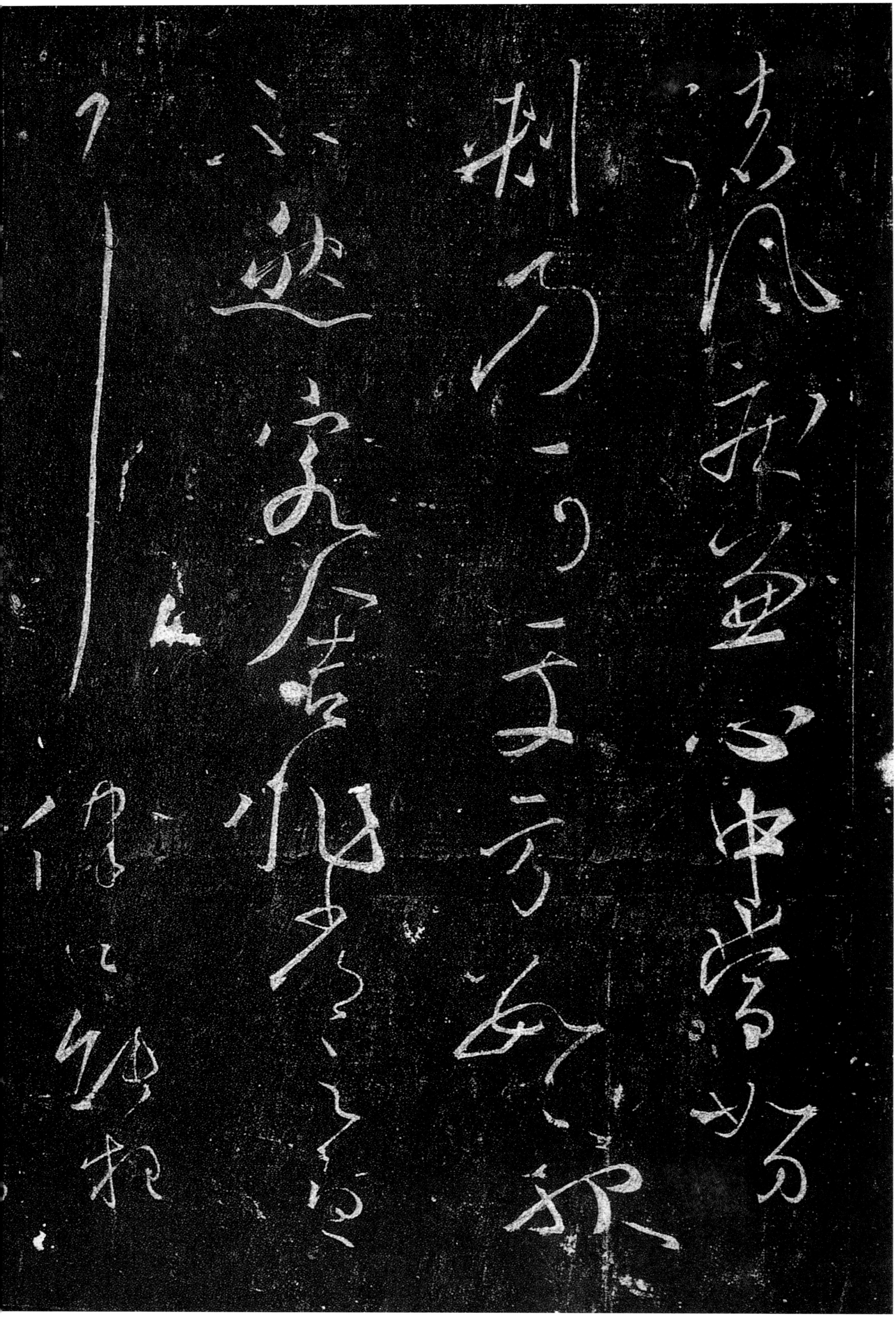

諸風疾兼心中常如刀刺乃可處方數服不然客舍非常之憂耳律公能拾